우주 정거장

지은이 : 새벽
구성 : 귀차니, 새벽
디자인 : 양회수

20413 20414

발　행 | 2023년 12월 6일
저　자 | 새벽
펴낸이 | 한건희
펴낸곳 | 주식회사 부크크
출판사등록 | 2014.07.15.(제2014-16호)
주　소 | 서울특별시 금천구 가산디지털1로 119 SK트윈타워 A동 305호
전　화 | 1670-8316
이메일 | info@bookk.co.kr

ISBN | 979-11-410-5769-5

www.bookk.co.kr

목 차

작가들의 말

안녕하세요! 작가 새벽입니다!

이 소설은 전체적인 내용을 저와 귀차니 작가가 함께 정하고 글은 제가 혼자 써내려가는 것으로 만들어졌습니다. (낄낄)

이 소설을 읽어주셔서 진심으로 감사합니다! (또한 흔쾌히 표지를 그려준 희수와 교정을 도와주신 수정이모께 고마움을 전합니다:) 당신의 앞날에 하나님의 축복이 가득하기를!

-새벽 작가-

안녕하세여 작가 귀차니 입니당

이게 새벽 작가와 첫 작품인데 재미있게 봐주셨으면 좋겠습니다!

저는 이 작품을 같이 만들면서 좋은 경험이 되었던 것 같아요. 나중에는 제가 그림 작가로 활약하게 될 수 있으니 많은 기대 부탁드립니다!

(깔깔) -귀차니 작가-

프롤로그. 반복되는 생활

우주는 우주를 상상하고 있었다. 칠흑같이 검은 어둠과 빛나는 별들, 그리고 그것들과 어우러지는 다양한 행성들까지.

'태양, 달, 달 토끼... 잠깐, 달 토끼?'

우주는 감고 있던 눈을 떴다. 고개를 살짝 들어 보니 아직도 선생님께선 지루한 교과서 내용을 칠판에 적고 계신다.

우주는 피식, 웃음이 나왔다.

'달 토끼, 그런 게 우주에 있을 리가 없잖아.'

우주는 자신의 왼편의 창문 너머로 보이는 파란 하늘을 잠시 멍하게 쳐다보더니 다시 눈을 감고 상상했다. 달 토끼 같은 건 존재하지 않는 넓고 아름다운 우주를.

익숙한 음악이 스피커에서 흘러나와 우주의 상상을 방해한다. 6교시 종료를 알리는 종소리다.

'벌써 6교시가 끝났나 보네.'

우주는 기지개를 쭉 피고는 집에 갈 준비를 하고 있는 아이들은 아랑곳

하지 않은 채 노트와 펜을 꺼내 글을 쓰기 시작한다. 바로 이 시간이 우주가 가장 좋아하는 시간이다.

소란스럽던 아이들이 모두 가고 조용해졌을 때, 우주네 반 담임선생님이 우주에게 다가왔다.

"우주야, 오늘도 글 쓰고 가는 거니?" 조금은 조심스럽게 선생님이 물었다.

"아, 네. 6시 전에는 갈게요." 우주가 무표정한 얼굴로 대답했다.

"그래, 알겠어. 열쇠 여기 두고 갈게." 이제는 익숙하다는 듯이 선생님이 말했다.

"네. 감사합니다." 우주가 말했다.

사각사각. 이제 이 교실, 아니, 이 학교에는 우주의 연필 소리밖에 들리지 않았다. 적어도 우주는 그렇게 생각했다.

우주의 표정은 어느 때보다 평온하고 부드럽다. 언제 봐도 파란 하늘과 시원한 바람이 우주의 기분을 더 좋게 만든다.

그림을 그리기도 하고 글을 쓰기도 하며 혼자만의 시간을 보내던 우주는 하늘이 노을빛으로 물들여졌을 때 즈음 6시를 가리키는 시계를 힐끔 보았다. 그러고는 가방을 챙기고 교실 밖으로 나가 문을 잠그고 집으로 돌아갔다. 이것이 변하지 않는, 변하지 않을 우주의 루틴, 규칙적인 생활이다.

우주의 이런 반복되는 생활 속에서 반복되지 않는 게 있다면 그건 바로 꿈이다. 늘 똑같이 반복되는 이 삶이 우주는 가장 안정적이라고 느꼈지만 이상하게도 늘 바뀌는 꿈들이 좋았다.

꿈에서의 색다른 경험들이 글을 쓸 때 영감을 줄 수도 있기 때문일까. 매일 밤 무슨 꿈을 꿀지 기대하고 상상하는 것 또한 이젠 우주의 일상이 되어버렸다.

그리고 우주는 최근 지구 너머의 우주에 대한 꿈을 꾸었으면 좋겠다고 생각했다. 자신의 이름과 같아 흥미가 가는 것 때문이기도 했지만 더 큰 이유는 자신의 이름과 같은 우주를 본다면, 볼 수 있다면 어렸을 때의 기억이 떠오를 수도 있겠다고 생각한 까닭이었다.
현재 우주의 머릿속에 있는 첫 기억은 아무도 없는 공원 한복판에서 캄캄한 밤에 홀로 서 있었던 아마도 6살 때의 기억이다.

우주에게는 아무 기억도 없던 상태였고, 따라서 이름이 무엇이고 부모님이 누구이며 사는 곳이 어디인지 묻는 어른들의 질문에 모른다는 대답밖에 할 수 없었다.

공원에 있었을 때부터 어른들과 파출소에 갔을 때, 기관에 가게 되고 지금의 양부모님을 만나 온우주라는 이름이 생기기까지. 우주는 모든 기억을 가지고 있었지만 자신의 진짜 이름과 부모님, 그리고 왜 공원에 있었는지는 도저히 기억할 수가 없었다.

16살, 중학교 3학년이 된 지금까지도.

1. 꿈과 달 토끼, 그리고 버스

우주는 집으로 돌아왔다. 서늘하고 조용한 집안 분위기가 이젠 익숙하다.

우주는 집 안의 불을 켜고 씻고 옷을 갈아입고 나와서 부엌으로 가 냉장고 문을 열었다. 늘 그렇듯 냉장고 안은 텅텅 비어 있다. 우주는 한숨을 쉬었다.

"언제까지 이렇게 살아야 하는 건지..."

사실 우주는 그토록 안정적이라고 생각했던 이 삶에, 늘 바쁘신 양부모님과 서늘한 집 안 공기에 슬슬 지쳐가고 있었다.

유일하게 반복되지 않는 꿈을 꾸기 위해 우주는 오늘도 일찍 침대에 누워 잠을 청했다.

'오늘은 특별한 꿈을 꿀 수 있을까...'

꿈속에서 우주는 하얀 방 안에 있었다. 우주는 실망한 표정으로 방을 휙 둘러보고는 자신의 앞에 놓인 버스도 지나갈 만한 커다란 문 앞으로 다가갔다.

문은 마치 오류가 난 것처럼 지지직거리고 있었고, 방과 같은 하얀색이었다. 우주는 문고리를 잡고 돌려 문을 열었다.

그러자 참으로 놀라운 광경이 펼쳐졌다. 우주가 그토록 원했던 광활한 '우주'가 우주 앞에 펼쳐진 것이다.

우주는 문 밖으로 한 발을 내디뎠다. 마치 유리 발판이 있는 것처럼 투명하고 딱딱했다. 두 발이 투명한 바닥 위에 서자 문은 사라져 버렸다.

주위를 둘러보던 우주의 시선이 한 군데에서 멈췄다. 우주의 시선이 멈춘 곳에는 버스 정거장처럼 보이는 구조물이 있었다.

우주는 정거장 의자에 앉아 모든 것들을 찬찬히 눈에 담기 시작했다. 칠흑같이 검은 어둠과 빛나는 별들, 그리고 그것들과 어우러지는 행성... 들은 없었지만 그 외에 모든 것이 우주의 상상보다 아름다웠다.

'기억하자. 이 모든 것을'

우주는 또한 이런 생각이 들었다. 이토록 아름다운 광경을 다른 곳에서는 볼 수 없을 것 같다고.

우주는 손을 뻗어 별을 잡을 것 같이 움켜쥐었다. 입가에는 옅은 미소를 띠고 있었다.

바로 그때, 커다랗고 거대한 무언가가 나타나 우주의 시야를 가렸다. 우주는 눈살을 찌푸리고는 그 커다란 물체를 자세히 들여다보았다.

그것은 버스였는데 밝은 노랑색인 것이 꼭 스쿨 버스 같았다. 그리고 그 버스에서 누군가가 내렸는데 그 모습이 마치...

"달 토끼?"

그 모습은 달 토끼가 아니고서야 설명이 되지 않았다. 사람의 모습이었지만 토끼 귀를 달고 있었고, 한복을 입고 있었는데 치마가 본래 한복보다 짧았다.

버스는 빠르게 사라져 버렸고 토끼 귀를 한 우주 또래의 그 여자아이는 우주를 보고는 깜짝 놀라 뒤로 자빠져버렸다.

"너... 뭐야? 인간? 인간이 왜 여기에...?"

여자아이는 우주를 뚫어지게 보더니 점점 혼란스러운 표정으로 바뀌었다.

"너... 혹시 리안이야?" 여자아이가 물었다.

우주는 고개를 갸웃했다.

"아니, 내 이름은 리안이 아닌데. 내 이름은 우주야, 온우주."

"우주... 우주라고..." 여자아이가 중얼거렸다.

"저기... 좀 비켜줄래? 너 때문에 안 보이잖아.

우주가 얼굴을 살짝 찡그리고서 말했다.

"아아, 미안." 여자아이는 잠시 망설이고는 우주 옆에 앉았다.

"내 이름은 별하야." 여자아이가 말했다.

“어, 그래.” 우주가 심드렁하게 말했다.

“넌 내가 신기하지 않아? 넌 인간이잖아. 그렇지?”
“뭐 어때, 꿈인데.”
“꿈이라고?”

별하가 갑자기 벌떡 일어나서 가방을 뒤적거렸다.

별하가 가방에서 꺼낸 것은 떡이었다. 작고 동그란 꿀떡.
“뭐 하는 거야?” 우주가 물었다.

“이거 먹어봐.” 별하가 떡을 내밀었다.

“이게 뭔데? 나한테 왜 주는 거야?” 우주가 말했다.

“꿀떡이라는 걸 모르진 않을 테고. 음... 기억... 하게 해 줄 거야. 아마도...”

우주가 고개를 기우뚱하며 떡을 받아먹자, 별하가 우주를 뚫어지게 쳐다보기 시작했다.

“혹시... 뭔가가 떠오른다거나 그러지 않아?” 별하가 간절한 목소리로 물었다.

“맛있네, 이 떡.” 우주가 입을 우물거리며 말했다.

"아니, 그런 거 말고! 진짜 없어?"

"뭔가가 떠올라야 하는 거야? 딱히 없는데."

"그럴 리가! 분명 기억하게 된다고 했는데...
아, 설마 다시 왔을 때...?"

별하가 중얼거렸다.

그때, 정거장 근처에서 우웅우웅 거리는 소리가 들리더니 우주와 별하 앞에 버스가 나타났다. 앞부분에는 인간 세계행이라고 적힌 스티커가 붙어 있다.

"저건...?"

우주와 별하가 동시에 말했다.

"10년에 사라졌던 버스야! 네가 불렀나 봐!" 별하가 말했다.

"내가...?" 우주는 얼떨떨한 표정을 짓고 있다.

"가봐. 너랑 더 이야기하고 싶지만... 버스가 가면 언제 다시 올지 모르니까! 아, 그리고 이거 받아."

별하가 우주의 손에 무언가를 쥐여주었다. 그것은 낡은 열쇠였는데, 우주의 손이 닿자 새것처럼 변하였다.

"역시 이 열쇠의 주인은 너였구나!" 별하가 감탄하며 말했다.

"그건 또 무슨 말이야? 열쇠의 주인이라니?"

우주에게는 이해되지 않는 것들 투성이였다.

"나중에. 그건 나중에 이야기하자. 버스가 가면 언제 다시 올진 아무도 몰라. 설마 여기에 갇히고 싶은 건 아니겠지?" 별하가 말했다.

별하는 우주를 버스 쪽으로 밀었다. 우주가 마지못해 버스에 타자 버스의 문이 닫히고 버스가 달리기 시작했다.

그때 우주는 창문 너머로 신기한 광경을 보았다. 우주가 이곳에 왔을 때 사라졌던 문이 다시 생겨나 버스가 들어갈 수 있게끔 활짝 열려 있었던 것이다.

버스는 문 안으로 들어갔고 하얀빛에 휩싸였다. 정말 오묘한 기분이었다.

2. 새로운 인연

우주는 잠시 어지러운 기분이 들더니 곧이어 편안하고 부드러운 곳에 누워있는 듯한 느낌을 받았다. 잠시 후 꿈 속세계와 현실 세계가 겹쳐서 보이더니 우주는 완전히 잠에서 깨어났다.

이불을 덮고 자지 않아 몸이 으슬으슬 추운 것이 현실감을 더해준다. 우주는 팔을 뻗어 핸드폰을 집어서 시간을 확인했다. 9시는 훌쩍 넘긴 시간이다.

"망했다, 지각이잖아!"

그러고는 무언가 이상한 기분이 들어 우주는 다시 핸드폰을 들여다보았다.

"토요일...이구나..."

우주는 안도의 한숨을 내쉬며 도로 침대에 누웠다. 꿈속에서의 일들이 아직도 생생하게 느껴진다.

'그 꿈은... 뭐였을까. 정말 그냥 꿈일 뿐이었을까?'

그러고는 침대에 있는 것도 싫증이 나 우주는 방 밖으로 나가보았다.

"역시... 아무도 없네."

우주는 오늘따라 조용한 집 안이 싫지 않았다. 양 부모님이 계셨다면 틀림없이 어색한 인사를 주고받아야 했을 테니까.

우주는 도로 방으로 들어와 침대를 정리했다. 그런데 베개 밑에 딱딱한 것이 만져졌다. 베개를 들춰보니 열쇠가 있었다.

"꿈에서 봤던 열쇠가 왜..."

우주는 열쇠를 집었다. 아무리 봐도 꿈에서 보았던 열쇠와 비슷하다.

잠시 후 우주는 열쇠를 가지고 자신이 할 수 있는 것이 없다는 걸 깨닫고 열쇠를 책상 서랍 안에 넣었다.

'이상한 일 투성이네...'

우주는 옷을 갈아입고 스케치북과 이젤, 색채 도구들을 가방에 넣어서 집 밖으로 나갔다.

우주는 항상 주말이 오면 공원에 나가 그림을 그린다. 처음에는 심심해서 시작했지만 이젠 이것 또한 우주의 규칙적인 행동들 중 하나가 되어버렸다.

공원에 도착한 우주가 오늘 그릴 것은 어젯밤 꿈에서 보았던 우주다. 우주는 그늘진 벤치에 자리를 잡고 물통에 물을 가득 채운 다음에 스케치북, 물감, 팔레트를 꺼내 그림을 그리기 시작하였다.

어떻게 잊을 수 있을까. 어젯밤의 일은 우주의 인생에서 가장 충격적인

사건이었다. 그 달 토끼 소녀와의 만남도 그러했다.

별하라고 했던가. 그 아이는 우주가 이해하지 못할 말들만 했다. 아직 머리가 복잡하고 이해가 안 되는 것, 궁금한 것들 투성이었지만 우주는 일단 그림 그리는 것에 집중하기로 마음먹었다. 늘 그래왔던 것처럼.

"와, 너 그림 진짜 잘 그린다! 다온, 너도 와서 봐봐."

우주가 고개를 들어 보니 양 볼이 주근깨 투성이인 반 곱슬 머리의 한 여자아이가 우주의 그림을 보고 있었다.

다온이라고 불린 검정 머리에 키 작은 남자아이는 귀찮은 표정으로 다가와 그림을 힐끗 보았다. 피곤해 보였던 남자아이의 눈이 점점 커졌다.

'정말로 우주를 담아놓은 것 같잖아.' 그 남자아이는 이렇게 생각했을 것이다.

그러곤 겉으로는 내색하지 않으며 "뭐 잘 그리네."라고 말했다.

"어... 고맙다? 그런데 너희는 누구야?" 우주가 물었다.

"후후, 이 몸들의 소개를 하자면~! 내 이름은 메리, 그리고 이쪽은 다온이야! 우리는 이란성 쌍둥이인데,
그저께 이곳으로 이사 왔어. 여긴 정말 볼거리가 많더라!"

여자아이는 우주가 궁금하지 않은 이야기들까지 쉴 새 없이 재잘거렸다. 한참 동안이나.

“야, 이제 가자.” 다온이 말했다. 어느새 하늘은 붉은빛으로 물들여져 있었다.

“아... 벌써? 조금만 더 있다 가자~” 메리가 아쉬운 표정으로 말했다.

‘제발 가줘!’ 우주는 생각했다. 1시간 동안이나 메리의 속사포처럼 쏟아져 나오는 이야기를 들었더니 진이 다 빠져 이젠 말할 기운도 없었다.

“안돼. 엄마 걱정하셔. 빨리 가자.” 다온이 단호하게 말했다.

“알겠어... 아! 그러고 보니 네 이름도 안 물어봤네? 이름이 뭐야?”

메리가 앉아있던 곳에서 일어나며 말했다.

“응? 아... 우주야. 온우주.”

“엄청 예쁜 이름이다! 다음에 또 봐 우주야!” 메리가 싱긋 미소 지으며 손을 흔들었다.

다온은 그냥 가는가 싶더니 고개를 돌려 꾸벅 인사를 했다. 우주는 두 사람에게 손을 흔들어 주었다.

우주는 하늘을 멍하니 바라보았다. 매일 보는 익숙한 노을빛 하늘이었지만 오늘따라 더 아름다워 보였다. 무언가 이상한 감정이 우주에게 들었다.

우주의 마음속에 어떤 변화가 일어나고 있었다.

우주는 자리를 정리하고 편의점으로 향했다. 아침부터 아무것도 먹지 않아 배가 연신 꼬르륵 소리를 내며 신호를 주기 때문이었다.

우주는 늘 먹던 삼각김밥을 집으려다 멈칫했다.

'오늘은 다른 걸 먹어볼까.'

우주는 잠시 고민하더니 바로 옆에 있는 삼각김밥을 집었다. 별거 아닌 듯 보이는 선택이었지만 왠지 모를 뿌듯함이 우주에게 감돌았다.

3. 두 번째, 세 번째 만남

우주는 집으로 돌아왔다. 밖은 벌써 캄캄한 밤이 되어있다. 우주는 가방을 내려놓고 곧장 침대로 가 드러누웠다. 하지만 뭔가가 생각난 듯이 벌떡 일어나 서랍으로 다가갔다. 서랍을 열어보니 당연하게도 열쇠가 있다.

우주는 열쇠를 집어 베개 밑에 두고는 도로 침대에 누웠다. 이렇게 하면 다시 그곳에 갈 수 있을 거라 속으로 되뇌면서.

우주는 꿈속에서 다시 하얀 방 안에 있었다. 하지만 이번에는 문이 지지직거리지 않았고 우주의 손에는 열쇠가 쥐어져 있었다.

우주는 문으로 다가갔다. 문고리를 돌려보았지만, 문은 잠긴 듯 열리지 않는다. 우주는 열쇠를 보며 침을 꿀꺽 삼켰다. 그리곤 문고리에 달린 열쇠 구멍에 열쇠를 넣고 돌렸다.

그랬더니 문이 열리고 우주가 어젯밤 봤던 광경이 펼쳐졌다.

아름다운 검은빛 우주. 우주는 그곳에 다시 발을 디뎠다.

이번에는 정류장에 누군가가 앉아있다. 달 토끼 소녀, 별하다.

별하가 우주를 보고는 활짝 웃으며 달려왔다.

"안녕!" 별하가 전보다 격양된 목소리로 말했다.

"안녕. 별하, 맞지? 너에게 물어보고 싶은 게 엄청... 많아."

우주 또한 흥분된 목소리로 말했다.
두 사람은 정류장 의자에 앉았다.

"내가 왜 자꾸 여기 오게 되는 거야? 그리고 여긴... 대체 뭐야?"

우주가 질문을 쏟아냈다.

"좀 진정해. 너무 흥분한 것 같은데? 우선...
모든 인간들의 꿈속은 우주와 연결되어 있어."

"하지만 난 꿈속에서 우주를 본 적이 없는걸?"

우주가 중간에 끼어들었다.

"당연히 이곳에 온 적은 없겠지! 오래전 지구에서 우주로 갈 수 있는 물리적인 수단이 생겨났을 때부터 우리는 인간이
꿈을 통해 우주로 오는 통로에 문을 설치했거든. 열쇠 없이는 열 수 없는 문을."

별하는 우주에 손에 들린 열쇠를 힐끔 쳐다보았다.

"그럼 이 열쇠가..." 우주가 말했다.

"이제 알겠지? 그 열쇠는 문을 열 수 있는 단 하나의 열쇠야. 열

쇠의 주인만이 문을 열 수 있다나 뭐라나."

별하가 한숨을 푹 쉬었다.

"누가 인간의 꿈과 우주를 연결했는지는 아무도 몰라. 그런데..."

별하가 우주의 눈을 피하며 눈치를 봤다.

"어젯밤에 달 토끼 중 하나가 실수를 해서 문에 오류가 나버렸거든. 그래서 네가 여기에 들어 올 수 있었던 거야."

"나 외에 더 들어온 사람은 없어?" 우주가 물었다.

"그래. 다행스럽게도."

우주가 고개를 끄덕이며 질문할 거리를 찾으려던 찰나에 이상한 소리가 들리더니 우주와 별하 앞에 버스가 나타났다.

"이 버스가 오는 시간의 기준은 뭐야?"

우주는 너무나도 빨리 온 버스에 아쉬운 감정을 느끼며, 그리고 그런 감정을 느낀 자신에게 놀라며 말했다.

"글쎄, 10년 전 이 버스가 사라지기 전까지만 해도 우리 마을 사람들이 인간세계로 갈 일이 종종 있어서 이 버스를 사용했거든? 그때는 분명 정해진 시간에만 왔었는데. 지금은 엄청 뒤죽박죽이네."

별하는 고개를 갸웃하고는 어깨를 으쓱했다.

“뭐, 어쩌겠어. 버스가 오면 가야지. 잘가, 내일 보자!”

“응, 안녕.” 우주는 입가에 옅은 미소를 띠고 있었다.

다음날 밤. 별하는 우주에게 자신이 살고 있는 곳에 대해 말해주었다.

“우리는 지구에서 멀리 떨어진 곳에서 마을을 짓고 살고 있어. 너희 인간에겐 지구가 딱 맞는 환경이지만,
우리 달 토끼들은 우주가 딱 좋은 환경이라 평화롭게 살 수 있지. 우린 마을에서 버스를 타고 달로 일을 하러 가.”

“잠깐, 일을 한다고? 무슨 일인데?” 우주가 말했다.

“달 토끼인데 무얼 하겠어? 떡방아를 찧는 거지.”

우주는 별하가 주었던 꿀떡을 떠올렸다.

‘참 맛있었지. 그 떡.’ 우주는 그런 생각을 하다 문득 첫 만남 때가 떠올랐다.

“있잖아. 우리가 처음 만났을 때 네가 했던 말, 기억해? 떡을 주면서 기억하게 될 거라고 했잖아.
뭘 기억하게 된다는 거야? 그리고 날 보면서 리안이냐고 물어봤었잖아. 그 사람은 누구야? 아, 달 토끼 인가?”

별하는 눈동자를 이리저리 굴리며 당황해했다. 우주는 자신이 리안이라는 말을 꺼냈을 때 별하가 움찔하는 것을 보았다.

"그러니까... 그때는 떡이 무슨 역할을 하는지 잘 몰랐었거든? 그런데 이젠 알겠어. 떡은 이곳에서 인간세계로 갔을 때 기억을 잊지 않게 해주는 것 같아.

그리고... 리안은..."

별하는 쉽사리 다음 말을 잇지 못했다. 횡설수설 거리며 과장된 몸짓에 두 눈에 담긴 혼란스러움을 본 우주는 지금의 별하에게선 제대로 된 대답을 듣지 못할 거라는 생각이 들었다. 우주는 씁쓸한 미소를 지었다.

"지금이 아니더라도 나중에는 말해 줄 수 있지?"

별하는 모든 행동을 멈추고 우주를 바라보았다.

"그럴게. 반드시." 별하의 눈빛은 진지했다.

다음 날 아침, 우주는 싱숭생숭한 마음으로 등굣길에 올랐다. 교실 안으로 들어가니 무척이나 소란스럽다. 우주는 가방을 내려놓고 무슨 일인지 귀를 기울였다.

"정말 두 명이나 우리 반에 온다고? 에이, 한 명이겠지!"

"진짜 두 명이라니까? 내가 똑똑히 들었다고!"

종이치고 선생님과 전학생들이 들어오자 교실은 더욱 소란스러워졌다. 우주는 상상하는 것을 포기하고 전학생들을 바라보았다.

'잠깐, 어?!'

4. 쌍둥이 남매의 비밀장소

바로 그 순간, 우주는 메리, 다온과 눈이 마주쳤다. 메리는 활짝 웃으며 손을 흔들었고, 다온은 어안이 벙벙해졌다. 아마 다온도 우주와 마찬가지로 어떻게 이런 일이 있을까 하고 생각하고 있는 중일 것이다.

"그럼 먼저 자기소개부터 해볼까?" 선생님이 말씀하셨다.

"에이, 선생님! 요즘 누가 전학생한테 자기소개를 시켜요~ 그런 건 소설에서나 나오는 거죠!"

앞자리에 앉은, 이 반에서 제일 시끄러운 얘들 중 한 명이 말했다.

선생님이 손가락을 입에 갖다 댔다.

"쉿. 메리부터 앞으로 나와서 해볼까?"

"안녕! 내 이름은 메리야. 우린 전에 살던 곳에서 이곳으로 이사 오게 돼서 학교도 여기로 전학 오게 됐어.
좋아하는 건 만들기랑 달콤한 거야! 앞으로 잘 부탁해!"

긴장은커녕 명랑한 목소리로 또박또박 말하는 메리의 모습을 반 아이들은 멍하니 바라보다 뒤늦게 박수를 쳤다. 메리가 한걸음 뒤로 물러나자 모두의 시선은 다온에게로 쏠렸다.

"내 이름은 다온이고, 에... 잘 부탁한다."

다온은 귀찮은 듯 한숨을 쉬고 나와 짧고 굳게 자기소개를 끝냈다.

우주는 피식, 웃음이 나왔다.

'정말 얘들은 참 한결같다니까.'

공교롭게도 메리는 우주의 옆자리에 앉게 되었고 다온은 우주의 앞자리에 앉게 되었다.

"엄청 오랜만이다! 아닌가...?" 메리가 말했다.

"우리가 토요일에 만났고 오늘이 월요일이니까 딱 이틀 만이네. 오랜만은 아니지."
다온이 반박했다.

"꼭 내가 하는 말마다 그렇게 뭐라고 해야 해?" 메리가 말했다.

"어. 그래야겠는데."

평소라면 성가셨었을 두 사람의 티격태격하는 모습이 우주는 오늘따라 나쁘지 않게 느껴졌다. 우주의 마음속에 작은 변화들이 차곡차곡 쌓이기 시작했다.

'실망하지 않기 위해 늘 똑같은 삶을 살겠다고 다짐했는데. 자꾸만 일어나는 변화들을 어떻게 해야 하는 걸까...'

우주는 문득 별하가 떠올랐다.

'맨 처음 내게 영향을 준 건 별하였지. 별하는 무언갈 알고 있을까?'

"저기요, 온우주씨? 내 말 듣고 있어? 무슨 생각을 하는 거야?"

메리가 우주의 눈앞에서 손을 흔들었다.

"아, 아무것도. 뭐라고 했어?" 우주가 말했다.

"너도 수학여행 가냐고. 이번 주 수요일이라던데?" 메리가 말했다.

"어... 귀찮은데..."

작년 수학여행 때 우주는 친구도 없고 소란스럽기만 한 수학여행을 가느니 차라리 학교에 남아 하루종일 자습하는 길을 택했다.

하지만 다온과 메리가 나타난 지금은....

'글쎄, 이 두 사람과 함께 한다고 해서 뭐가 달라질까?'

"아, 같이 가자~ 우리 셋이서 가면 진짜 재밌을 거라고!" 메리가 말했다.

"그럼 그럴까..."

우주는 두 번째로 자신에게 이상한 감정을 느끼게 해준 이 둘과 함께라면 자신의 변화에 대해 알게 될 수도 있겠다고 생각했다.

순식간에 6교시가 끝났고 늘 그랬듯 우주는 노트를 꺼냈다.

"우주야! 같이 하교하자. 보여주고 싶은 곳이 있어!" 메리가 말했다.

'생겼다. 또 다른 변화가.'

메리와 다온이(정확히는 메리가) 우주를 이끌고 간 첫 번째 장소는 편의점이었다.

"여기야? 보여주고 싶다는 곳이?" 편의점 앞에서 우주가 말했다.

"아니, 여기서 뭘 좀 사가야 해. 그래야 거기서 더 재밌게 시간을 보낼 수가 있거든." 메리가 말했다.

잠시 후...

"우유에, 과자에... 이런 건 왜 산 거야? 우리가 어디 소풍 가는 것도 아니고." 우주가 말했다.

"그건 가보면 알 거야."

메리가 의미심장한 미소를 지었다. 다온도 조용히 고개를 끄덕였다.

'아.... 그냥 학교에 있을걸...'

우주는 생각했다.

"뭐 해? 빨리 와!"

우주가 멈춰 서 피곤함과 후회 섞인 한숨을 내쉬는 사이 메리와 다온은 벌써 저만치 앞서가 있었다.

"그래... 간다 가..."

우주는 큰 충격을 받았다. 우주가 두 사람을 따라간 곳은 학교 뒤편에 있는 산이었기 때문이다..

"우리, 등산도 해...?" 우주가 말했다.

"거의 다 왔으니까 힘내! 여길 조금만 오르면 우리의 비밀장소가 나오거든. 여기 온 첫날에 발견했지!"

우주는 비밀장소라는 말에 솔깃하여 잠자코 산을 오르기 시작했다. 우주는 아무도 존재하지 않는 신비로운 분위기에 휩싸여 힘든 줄도 모르고 열심히 주변을 탐색하며 걸었다.

"여기 근처였어! 이것만 치우면..."
"도착했다!"

메리가 무성한 덩굴을 헤치며 말했다.

잎이 무성한 푸른 풀들과 나무들, 그리고 신비로운 덩굴들과 어우러지는 아름다운 꽃들은 가히 환상적이었다.

"어때, 끝내주지?"

"그래... 여긴 정말..."

이 순간, 숲을 바라보는 우주의 눈은 어느 때보다 찬란하게 빛나고 있었다. 학교에 남아 글을 쓸 때나 꿈을 꾸려고 잠을 청할 때와는 다른 색다른 느낌이었다. 우주에게 또다시 새로운 감정이 솟아났다.

메리는 어디서 났는지 모를 돗자리를 꺼내서 푹신한 잔디 위에 깔고서 그 위에 앉아 편의점에서 산 것들을 꺼내기 시작했다.

"어때? 이러니까 진짜 소풍 온 것 같지 않아?"

메리가 크림빵 봉지를 뜯으며 말했다.

"그러게. 이런 곳은 한 번도 본 적이 없는데. 대체 어떻게 발견한 거야?"

시원한 바람과 적당한 햇살, 아무도 발견하지 못할 만큼 수북이 쌓인 덩굴들이 비밀장소로 하기에 안성맞춤이었다.

"어떻게 알았겠어? 이사 온 날부터 얼마나 돌아다녔는지..." 다온이 말했다.

“돌아다니는 게 나빠? 덕분에 이런 데도 찾았으니 얼마나 좋아!”

메리가 우물거리며 말했다.

“그건 그렇지.”

우주가 웃으며 바나나우유에 빨대를 꽂았다. 셋은 잠시 멍하게 하늘을 바라보았다.

먼저 입을 연 건 놀랍게도 다온이였다.

“매일 이렇게 살 수 있다면 참 좋을 텐데. 있잖아, 너희는 꿈이 있어?”

스치듯 부는 바람에 다온의 머리카락이 움직였다.

메리와 우주는 갑자기? 라는 표정으로 다온을 바라보았다.

“그냥 좀... 초조해진다고나 할까. 내년이면 우리도 고등학생이잖아.”

다온이 진지한 표정으로 무덤덤하게 말했다.

‘꿈이라.... 내가 좋아하는 건, 하고 싶은 건 뭘까?’ 우주는 생각했다.

“있잖아. 이건 내가 아무한테도 이야기 안 한 건데... 나는 수학

선생님이 되고 싶어." 메리가 말했다.

"수학? 수학 선생님이 되겠다고?" 우주가 놀란 눈으로 말했다.

"왜 그런 눈으로 봐? 너희들이 평소에 날 어떻게 봤는지는 몰라도 나 수학 잘하거든?" 메리가 발끈해서 말했다.

"정말이야?" 우주가 다온을 보며 물었다.

"그래, 되게 안 어울리지?" 다온이 씩 웃었다.

"그러게..."

우주는 자기도 모르게 말을 해버리고는 헉하고 자신의 입을 막았다.

조심스레 고개를 돌리니 메리의 눈이 이글이글 불타고 있다.

"이... 이것들이!!"

그렇게 한바탕 소란이 일어났다.

5. 불안함, 어색함

늦은 저녁, 우주는 집으로 돌아왔다. 이런 피곤함도 오랜만이다.

우주는 문득 이런 생각이 들었다. 내가 이런 감정들을 느껴도 되는 걸까. 만약 이 모든 것들이 갑자기 사라진다면 난 감당할 수 있을까. 우주는 불안했다. 갑자기 생긴 변화들이 두려웠다.

그래서 우주는 그날 밤에 별하에게 자신의 비밀을 털어놓았다.

"난 어떻게 해야 하는 걸까? 이 모든 것들이 싫진 않지만 너무 낯설고.... 어색해." 우주가 말했다.

별하는 잠시 생각하더니 조심스레 입을 열었다.

"사람의 마음이라는 건 언제든지 변화할 수 있어. 그러니까 네가 느끼는 감정들과 변화들에 대해 거부감을 가지거나
불안해할 필요 없어. 네 삶에서 중요한 건 너니까 네 마음대로 해." 별하는 진지하게 조언해 주었다.

다음 날, 꿈에서 깨어난 우주는 자신의 변화를 받아들이기로 결심했다. 그리고 고민을 나눌 이가 있는 것이 참 다행이라는 생각이 들었다.

우주가 방 밖으로 나가니 우주의 양부모님이 차를 마시며 앉아 있었다.

우주의 기분의 높이는 밑바닥까지 쭉 떨어졌다. 양부모님을 볼 때면 우주

는 마음속에 꽉 막힌 무언가가 있는 듯한 느낌이 들었다.

두 사람은 우주를 바라보았다. 셋 사이엔 어색한 기류가 흘렀다.

"안녕히 주무셨어요?" 우주가 용기를 끌어내어 물었다.

"그래, 너도 잘 잤어?" 양어머니가 미소를 띠고 말했다. 어색한 웃음이었다.

"아, 네." 우주는 짧게 대답했다.

셋 사이에는 또다시 적막함이 흘렀다.

"학교 생활하다 불편한 거 있으면 언제든지 말해. 필요한 게 있어도 말하고."

더없이 자상하면서도 상투적인 말투다. 친근하지만 마음을 터놓고 이야기하기엔 먼 사이.

"네. 그럴게요. 아, 그리고 저 내일부터 수학여행 가요. 1박 2일로요."

그리곤 덧붙였다.

"필요한 건 없어요."

"그래, 알겠다."

우주의 양어머니는 우주를 향해 살짝 미소 지어 보였다. 이것이 2주일 만에 첫 대화의 끝이었다.

순식간에 학교 갈 준비를 끝내고 집에서 나와 걸으며 우주는 생각했다.

'우리 집에도 무언가 변화가 생기면 좋을 텐데...'

하지만 우주는 알고 있었다. 그것까지 바라는 건 우주에게 불가능한 일이자 지나치게 과분한 것임을.

"어, 우주야, 안녕!"

멍하니 걷고 있던 우주 앞에 메리가 나타났다. 어느새 학교 앞에 와 있었다.

", 안녕. 여기서 마주치네?" 우주가 얼떨떨하게 말했다.

"그러게, 신기하다!" 메리가 기운차고 밝은 목소리로 말했다.

"빨리 들어가자. 곧 종이 칠 거야."

다온의 말이 끝나기가 무섭게 종소리가 울려 퍼졌다. 세 사람은 허겁지겁 학교 안으로 들어갔다.

조회시간, 담임 선생님이 교실 안으로 들어와 아이들을 휙 둘러보았다.

"다들 열심히 공부하고 있네? 맞아, 오늘이 영어 수행평가하는 날이라고 했었지? 선생님 기대할게! 파이팅!"

순간 우주는 머릿속에 번개가 치는듯한 느낌이 들었다.

"영어 수행평가가... 오늘이었어?" 우주가 충격받은 표정으로 물었다.

"어, 몰랐어? 지난주부터 말씀하셨었는데, 그렇지?"

다온이 고개를 돌려 메리를 보았다. 메리도 우주와 똑같은 표정이다.

"다음 주 아니었어...?" 메리가 말했다.
다온은 이마를 탁 짚었다.

"얘들을 어쩌면 좋니..."

1교시가 끝난 후, 우주와 메리는 녹초가 되어있었다.

"메리... 너는 잘 봤어...?"

우주가 책상에 엎어진 채로 물었다.

"대충...?"

메리가 우주와 똑같은 자세로 기운 없이 말했다. 모든 걸 하얗게 불태운듯한 표정이었다.

"그러니까 미리미리 준비 좀 할 것이지."

다온이 학습지들을 정리하며 말했다.

화살이 날아와 우주와 메리의 정곡에 박혔다.

"너희, 나중에 수능은 어떻게 보려고 그래? 내년이면 고등학생인데 미리미리 공부를 해 놔야..."

다온의 잔소리 폭격에 아주 많은 화살이 날아와 메리와 우주에게 꽂힌다.

"아, 잔소리 좀 그만해! 꼭 수학여행 가는 전날까지 잔소리를 해야겠어?"

메리가 짜증을 냈다.

"그래.... 귀에서 피가 흐를 것 같다고..."

우주가 부스스하게 일어나며 말했다.

다온이 무어라 말하려는 순간, 다행스럽게도 2교시를 알리는 종이 울려 다온은 앞을 볼 수밖에 없었다. 6교시가 모두 끝나고 드디어 종례 시간이 다가왔다.
"자, 드디어 내일은 너희가 기다리던 수학여행 날이지? 오늘은 일찍 자고,

내일 아침 8시 30분까지 운동장에 모이면 돼. 알겠지?"

"네~!" 모두가 힘차게 대답했다.

우주는 학교 앞에서 메리, 다온과 헤어지고 집으로 가는 발걸음이 무척이나 가볍게 느껴졌다. 우주가 지금 가장 크게 느끼고 있는 감정은 아마 '설렘' 일 것이다.

6. 별하와 열쇠

달 토끼 마을은 오늘도 분주하다. 이리저리 바쁘게 움직이는 토끼들을 보며 별하는 느긋하고 기분 좋게 거리를 거닐고 있었다.

그런데 갑자기 별하는 갑자기 나타난 거대한 눈사람 같은 형체와 부딪혔다. 별하네 집 근처에 사는 토끼 아저씨다. 토끼 시장에서 옷을 팔며 살고 계신다.

"오, 괜찮니?" 아저씨가 말했다. 아저씨의 이마에는 땀이 송골송골 맺혀있다.

"네. 괜찮아요. 어딜 그리 급하게 가세요?" 별하가 물었다.

아저씨는 주머니에서 손수건을 꺼내 땀을 닦았다.

"너를 찾고 있었지. 촌장님께서 너를 불러달라고 하시더구나. 물어볼 게 있다고."

"저를요?" 별하는 고개를 갸우뚱했다.

"글쎄, 그렇다니까? 촌장님 댁 어딘지는 알지? 얼른 가봐. 나는 영업 준비를 하러 가야겠다."

아저씨는 그렇게 말하고는 통통 뛰며 바쁘게 별하를 지나쳐 갔다.

'촌장님께서 나에게 뭘 물어보시려는 걸까..'

별하는 걸으며 생각했다.

촌장님의 집 앞에 다다랐을 때 별하에게 한 가지 생각이 머릿속을 스쳐 지나갔다.

'설마... 설마 우주나 열쇠에 대한 건 아니겠지?'

별하는 침을 꿀꺽 삼키고선 문을 두드렸다. 별하는 잠시 후 철컥 소리가 나더니 작은 인형 같은 토끼가 문고리에 대롱대롱 매달려 있다가 가볍게 착지하는 것을 보았다.

두 사람은 집 안으로 들어갔다. 크고 반짝이는 눈과 작은 체구, 콧수염을 달고 마치 요술봉 같은 지팡이를 들고 있는 촌장님은 사뭇 진지한 표정으로 낡아 보이는 1인용 소파에 풀쩍 뛰어 앉았다.

별하도 맞은편 의자에 앉았다. 두 사람 사이에 있는 테이블에는 찻 주전자와 아직 김이 나는 찻잔에 담긴 차가 놓여 있었다.

"갑자기 불러서 미안하구나. 차를 좀 들겠니? 마음을 진정시키는데 도움이 될 게다." 촌장님이 말했다.

별하는 밝은 노란빛을 띠는 차를 마셔보았다. 캐모마일 차였다.

"아직 옛날에 지구에서 가져온 티백이 있더구나. 꽤 오래되긴 했어도 향은 똑같을 거다."

촌장님은 웃으며 차를 들이켰지만 별하는 슬그머니 찻잔을 내려놓았다. 달토끼들이 지구와 연을 끊은 건 적어도 10년 전이기 때문이다.

"제게 물어볼 게 있으시다고 들었어요." 별하가 말했다.

촌장님은 언제나 입가에 인자하고 따스한 미소를 담고 있었다. 그랬기 때문에 별하가 촌장님을 아주 어릴 적에 처음 만났을 때도 별하는 촌장님의 괴상한 생김새에도 얼마 지나지 않아 마음을 열 수 있었다.

그런데 지금은 촌장님이 미소를 거두고 별하와 눈을 마주쳤다. 별하는 목이 바싹 타오르는 것을 느끼며 쿵쾅거리는 심장을 진정시켰다.

"그래, 그랬지."

촌장님은 찻잔을 내려놓고 머리를 소파에 기댄 뒤 허공을 바라보며 얼굴을 살짝 찡그렸다. 마치 예전의 기억을 끄집어내듯이.

"10년 전이 생각나는구나. 나의 젊은 시절을 함께했던 열쇠는 자신을 필요로 하는 이를 찾아 떠났고. 열쇠에게 선택받은 소년은 열쇠를 두고 돌아올 수 없는 곳으로 떠나버렸지."

촌장님은 잠시 꿈꾸는 듯한 표정을 지었다가 심각하고 진지한 표정을 지었다.

'뭐지? 촌장님도 말로만 듣던 중2병에 걸리신 건가?' 별하는 생각했다.

"그런데 며칠 전, 한 달 토끼의 실수로 1분 정도 동안 문이 열렸었지? 그때 한 명의 인간이 이곳으로 들어왔었다는 소식을 들었다.
그리고 마침 너도 문 근처에 있는 '우주 정거장'에 갔고."

촌장님은 별하와 눈을 똑바로 마주쳤다.

"네가 그 인간에게 열쇠를 주었니?"

별하는 심장이 쿵 내려 앉는듯한 느낌이 들었다. 별하는 거짓말을 해야 할지 사실을 말해야 할지 고민했다. 별하의 동공이 흔들렸다.

"저, 저는...."

별하는 고개를 수그렸다. 도저히 촌장님의 얼굴을 볼 용기가 나지 않았다.

"죄송해요. 속일 생각은 아니였는데..." 별하가 말했다.

"괜찮다. 누구든지 숨기고 싶은 건 있으니. 하지만 이번 일은 다르다. 혹시라도 그 인간이 안 좋은 마음을 품게 된다면... "

" 그 애 이름은 우주에요. 온우주. "

반항심이었을까, 용기였을까. 별하는 자신의 마음속에 이상한 감정이 솟구치는 것을 느꼈다. 그리고 그 애를 다시 만났을 때를 떠올렸다.

별하는 우주가 오기 전부터 가끔씩 우주 정거장에 앉아 별을 보며 10년 전의 그 아이를, 돌아오지 못할 것이라 생각했던 그 아이를 추억하곤 했다.

그날도 마찬가지였다. 별하는 버스의 뻥 뚫린 창문 밖을 내다보며 멍하니 있었다.

정거장에 거의 다 다다랐을 때, 별하는 보았다. 그날따라 찬란하게 빛나던 수많은 별을 향해 손을 뻗고 있던, 설렘과 황홀함을 담은, 왜인지 모르게 익숙한 반짝이는 눈을 가진 소년을.

"제가 그 애에게 열쇠를 준 이유는 그 애가 10년 전의 그 아이와 너무나도 닮아있었기 때문이에요."

"그게 정말이냐?"

촌장님이 안 그래도 큰 눈을 더 크게 떴다.

"네. 인간의 모습이었지만... 그리고 이곳도, 저도 기억하지 못했지만 10년이 지났어도 전 알 수 있어요. 우주를 바라보던 리안의 반짝이던 눈을요."

별하가 말했다.

촌장님은 잠시 눈을 지그시 감고 생각에 잠겼다가 이내 눈을 떴다.

"기억을 못 하는 건 10년이란 시간이 지나서의 영향도 조금은 있지만 가장 큰 이유는 떡을 먹지 않아서 일 것이다."

"떡이 하는 역할은 대체 뭐죠?" 별하가 물었다.

"뭐라고 생각하니?"

"인간이나... 어떤 생명체가 이곳에서 인간세계로 갔을 때 기억을 잃지 않게 해주는 게 아닌가요?"
별하가 말하자 촌장님은 미소 지으며 고개를 끄덕였다.

"그래, 맞다. 우리를 포함한 모든 생명체가 떡을 먹고 이 우주에서 인간 세계로 간다면 이곳에서의 기억을 고스란히 지니고 생활할 수 있게 되지."

"3달이 되기까지 떡을 먹지 않으면 영원히 기억을 잃게 되는 건가요?"

"보통은 그렇단다. 하지만 혹시 모르지, 정말 소중하고 특별한 기억이라면 쉽게
지워지지 않을지도."

"딱 오류가 난 날에 우주가 들어온 건 우연이였을까요?"

"글쎄, 그건 오직 신만이 아시겠지. 이 만남이 우연일지, 아니면 필연일지는."

촌장님은 잠시 멍하게 있더니 별하를 바라보았다.

"처벌을 피하기는 어려울 거다. 어쨌든 넌 인간에게 열쇠를 주었으

니. 내일 회의가 열릴 거야."

"네, 알고 있어요."

별하는 마음속에 납덩이가 내려앉은 기분이었다.

7. 수학여행

별하는 촌장님의 집에서 나와 우주 정거장으로 향하는 버스에 탔다. 처벌이라는 말에 우울했지만 오늘은 우주가 어떤 이야기를 할지 궁금했다.

"나, 내일부터 수학여행 가." 우주가 말했다.

"아, 정말? 재밌겠다. 잘 다녀와."

별하는 목구멍까지 나온 말을 꿀꺽 삼켰다. 고작 수학여행을 가는 것에 저리도 반짝이는 눈을 하고있는 아이에게 너 때문에 내가 벌을 받게 생겼다고는 말할 수 없었다.

'어쩌면 난 원망할 상대가 필요한 걸지도 모르겠다.'

우주는 수학여행 이야기를 늘어놓았다. 별하는 마음속에서 짜증나는 감정이 울컥 치밀어 올라 우주에게 신경질을 내려던 순간, 버스가 왔고 별하는 퍼뜩 정신을 차렸다.

'네가 지금 뭘 하려던 거지...?'

별하는 버스를 타는 우주를 향해 손을 흔들어 주었다. 왜인지 모를 슬픔이, 혼란스러움이 두 눈에 가득 담겨있었다.

다음 날 아침, 우주는 잠에서 깨어났다.

'왜 별하는 그런 표정을 지었을까.'

우주는 찜찜한 기분을 뒤로한 채 학교에 갈 준비를 했다.

우주는 버스를 타고 가는 동안 자신이 별하에게 잘못한 것이 없는지 곰곰이 생각했다. 메리나 다온에게 고민을 말해볼까 하는 생각이 들었지만 이내 포기했다.

'나는 열쇠를 통해 꿈속에서 우주로 갈 수 있는데, 거기서 만난 달토끼가 내가 수학여행을 간다니까 뭔가 혼란스러운 표정을 지었어. 왜 그런 걸까?' 하고 물을 수는 없기 때문이었다.

우주는 한숨을 쉬고는 자신의 머리칼을 마구 헝클어뜨렸다.

'역시 직접 물어보는 게 낫겠지.' 우주는 열쇠를 만지작거리며 생각했다.

"자, 얘들아~! 이제 거의 다 도착했으니까 옆에 자는 친구 깨우고 내릴

준비 하자!" 선생님이 말씀하셨다.

우주와 친구들은 잠시 후 버스에서 내렸다. 메리의 눈은 어느 때 보다 반짝거리고 있었다. 우주, 메리, 다온은 닭꼬치를 물고 시장 구경도 하고, 신비한 건축물들도 구경하였다.

별똥별들이 쏟아지는 밤하늘 아래에서 우주는 행복한 미소를 지으며 지그시 눈을 감고 소원을 빌었다. 메리, 다온도 마찬가지였다. 많은 것들을

보고, 체험한 뒤 숙소로 돌아왔을 때, 별하가 물었다.

"너희는 아까 무슨 소원 빌었어?"

"난 고등학교에서 잘 생활할 수 있게 해달라고 했어. 내년에는 제발 메리가 철이 들어서 사고 좀 안 치게 해달라고."

메리가 콧방귀를 뀌었다.

"너 답네. 나는 내 꿈을 이루게 해달라고 했어. 우주, 너는?"

우주는 잠시 뜸을 들였다.

"나는... 그냥 이런 생활이 계속되게 해달라고 기도했어. 뭐, 그건 어렵겠지만. 우린 몇 개월 뒤면 고등학생이잖아." 우주가 말했다.

"하긴, 그것도 그렇지. 중학교 입학하던 때가 엊그제 같은데 벌써 고등학생이라니... 기분이 이상해."

셋 사이에는 잠시 적막이 흘렀다. 이제 적막에는 진저리가 나는 우주가 재빨리 말을 꺼냈다.

"나중 일은 나중에 생각하고 일단은 현재에 집중하자! 처음 오는 수학여행인데 걱정만 하다 갈 순 없잖아?"

"그렇긴 하지." 다온가 말했다.

"그래! 그럼 걱정은 미루고 오늘은 신나게 놀자!" 메리가 말했다.

그렇게 수학여행의 첫날 밤이 깊어져 갔다.

* * *

우주가 친구들과 밤새워 신나게 놀고 있는 사이, 별하는 정거장에 앉아 우주를 기다리고 있었다. 처벌에 대한 불안함, 우주의 대한 반가움과 동시에 느껴지는 우주의 존재의 대한 혼란스러운 감정들이 뒤엉켜 별하의 마음속과 머릿속을 어지럽히고 있었다. 설상가상으로 우주는 몇 시간 째 정거장에 오지 않고 있었다.

바로 그때, 우웅우웅 거리는 소리가 나더니 달 토끼 마을로 향하는 버스가 멈춰섰다. 별하는 버스에 오르며 정거장을 바라봤다. 점점 우주가 자신에게 어떤 존재인지 깨달아 가는 별하였다.

* * *

축 늘어져서 좀비처럼 보이는 세 사람이 버스로 걸어가고 있다. 눈 밑에는 짙은 다크서클이 깔려있어 퀭한 눈이 무척 피곤해 보인다.

"그냥 잘 것이지... 왜 밤을 새우겠다고 해서...!" 다온이 신경질적으로 말했다.

"우리 방해할 사람 없다면서 무서운 이야기 하자고 한 건 너였잖아! 됐어, 피곤하니까 말 걸지마." 메리가 말했다.

"난 다시는 밤 안 새울 거야..." 우주는 크게 하품을 했다.

세 사람은 버스에 타서 자리에 앉자마자 곯아떨어져 버렸다.

시간이 지나고 우주는 부스스 일어나 기지개를 폈다.

'조용한 걸 보니... 다 자나 보네...' 우주는 생각했다

시계를 보니 도착하기까지 20분가량의 시간이 남아있다. 창문 너머 휙휙 지나가는 건물들을 멍하게 보던 우주에게 갑자기 어떤 생각이 떠올랐다.

'그러고 보니 잠을 잤는데도 우주 정거장으로 가지 않았네? 보통 낮잠 잘 때 꿈을 꾸지 않으니까 그런가?'

그런 생각을 하다가 우주는 문득 그저께 밤에 보았던, 왜인지 모르게 슬퍼 보였던 별하를 떠올렸다.

'어제는 가지 않았는데... 괜찮아졌을까?'

우주는 오늘 밤이 기다려지기 시작했다. 이런저런 생각을 하다 보니 어느새 버스는 학교 앞에 도착해 있었다.

"자, 얘들아~! 다 일어나! 내일 학교 개교기념일인 거 알지? 내일하고 주말 동안 푹 쉬고 월요일에 학교 와서 졸면 안 된다? 다 들었지?"
선생님이 말씀하셨다.

"야호! 내일 학교 안 와도 된다~!"
메리가 버스에서 내리며 말했다.

"그게 그렇게 좋냐?" 다온이 메리에게 핀잔을 주었다.

"물론이지! 오늘은 늦게까지 게임만 하다 잘 거야!" 메리가 활기차게 말했다.

"못 말려 정말.." 다온이 이마를 짚었다.

우주는 늘 이 두 사람이 티격태격하고 있는 모습을 보면 늘 웃음이 새어나왔다. 지금도 그랬다.

우주는 메리, 다온과 헤어지고 집으로 돌아왔다. 나갈 때와 똑같이 고요하기만 하다.

"우리 집은 늘 한결같네. 변화가 전혀 없어."

우주가 텅 빈 거실을 보며 중얼거렸다. 그렇게 우주의 수학여행은 끝이 났다.

8. 리안

우주는 침대에 누워 손에 쥐고 있는 열쇠를 빤히 바라보았다. 그리곤 열쇠를 베게 밑에 두고 눈을 감았다. 우주는 오늘도 꿈을 꾼다.

"뭐야... 왜 아무도 없어?"

어딜 봐도 별하는 보이지 않았다. 별하는 어디로 가버린 것일까? 다음날, 그 다음날 밤에도 별하는 보이지 않았다.

"야, 너 내 말 듣고 있어? 왜 이렇게 멍을 때려?" 메리가 말했다.

마침내 별하를 보지 못한 지 일주일이 되었을 때, 우주는 별하가 단순히 화가 나서 안 오는 것이 아니라는 걸 확신했다. 만난 지 얼마 되지도 않은 이 여자아이가 왜 이리 신경 쓰이는지 지금의 우주는 알지 못했다.

'그 애와 나의 관계는 친구일까?'

우주는 스스로 그렇게 생각하고는 아리송해했다. 친구라는 게 뭔지, 우정이란 무엇인지 우주는 잘 알지 못했기 때문이다

"친구라는 건 뭘까?" 우주가 불쑥 물었다.

"갑자기? 어... 글쎄." 메리가 말했다.

"아무 말 하지 않아도 서로를 믿을 수 있는, 그러니까 신뢰할 수

있는 관계가 아닐까?" 다온이 말했다.

우주는 조용히 고개를 끄덕였다.

"왜, 만난 지 얼마 안 된 사람은 둘만 있으면 어색하고 먼저 말 걸기도 쉽지 않잖아. 그러니까, 둘만 있어도 어색하지 않고 먼저 말 걸기도 편한 사람이 친구가 아닐까?"

"그것도 일리가 있네." 우주는 생각에 잠겼다.

그날 밤, 우주는 꿈속에서 열쇠로 문을 열어 정거장으로 향했다. 주위를 둘러보던 시선이 한 군데에서 멈칫한다. 우주는 빠른 걸음으로 걷다가 이내 뛰어서 정거장으로 왔다.

"안녕...! 오늘은 왔네?" 우주가 말했다.

"응." 별하가 살짝 웃으며 고개를 끄덕였다. 전과 달리 피곤해 보였다.

"너... 좀 지쳐보여. 일주일 동안 무슨 일이 있었던 거야?" 우주가 별하의 옆에 앉으며 말했다.

"하하, 너도 일주일 동안 하루종일 떡방아만 찧으면 이렇게 될 거야."

"일주일 동안 하루종일... 왜 그렇게 오래 일을 한 거야?"

"인간에게 열쇠를 줬는데 이 정도면 약과지. 네가 아니었다면 일주일로는 어림도 없었을 거야."

별하는 무언가 끔찍한 생각이 난 듯 몸서리를 쳤다.

"잠깐, 잠깐만, 그 말은 나 때문에 네가.."

"괜찮아. 좀 피곤하긴 했지만 방아를 찧는 건 익숙해서 많이 힘들지는 않았어. 그리고 나는 네게 열쇠를 준 것에 대해 전혀 후회하지 않거든." 별하가 씩 웃었다.

"대체 내가 뭐길래 나에게 열쇠를 준거야? 들키면 벌을 받게 될 거란 것도 알고 있었을 거 아니야."

우주는 별하가 왜 자신에게 열쇠를 주었는지 이해할 수 없었다. 별하는 잠시 망설이는 듯한 표정을 짓더니 이내 마음을 굳힌 듯 진지한 표정을 지었다.

"그래, 이젠 말할 때가 됐어."

"뭘?" 우주가 말했다.

"내가 너에게 열쇠를 준 이유. 너의 과거인 10년 전의 일을 말이야."

별하가 이야기를 시작했다.

* * *

10년 전, 달 토끼 마을.

호기심 많은 6살의 별하는 마을 이곳저곳을 기웃거리다 '우주 정거장 행' 이라는 문구가 쓰여져 있는 버스를 눈을 반짝이며 보고서는 몰래 그 버스에 탔다.

버스가 정거장 앞에 서자 쏟아져 나가는 달 토끼들에 치여 별하도 내리게 되었다. 별하는 정거장 뒤로 가서 그들의 대화를 엿들었다.

"언제까지고 인간세계에서 물자를 가져와 살 수는 없지 않습니까. 이제 대책을 세워야지요." 달 토끼 하나가 말했다.

"맞습니다. 식량은 떡으로 해결하면 될 것이고 마을도 어느 정도 안정이 되었으니 방법을 찾아야 합니다." 다른 달 토끼가 말했다.

"흐음, 알겠네. 그걸 이번 회의 안건으로 하여 의논해보도록 합세." 촌장님이 말했다.

별하가 더 잘 듣기 위해 벽에 귀를 대는 순간, 자신과 똑같은 행동을 하고 있는 달 토끼 남자아이와 눈이 마주쳤다.

"너, 뭐..."

"쉬이이잇!"

별하가 말하려 하자 남자아이가 기겁하며 조용히 하라는 손짓을 했다. 어른들이 인간 세계행 버스를 타고 사라지자 별하는 정거장 의자에 털썩 앉았다. 남자아이도 앉았다.

"너 뭐야? 왜 여기 있어?" 별하가 물었다.

"너랑은 상관없는 일이야." 남자아이는 그렇게 말하곤 골똘히 생각에 잠겼다.

"어른들이 너 여기 있는 걸 알면 혼나는 걸로는 끝나지 않을 텐데~?"

별하는 버릇없는 이 남자아이를 골려주고 싶다는 생각이 들었다.

"그건 너도 마찬가지 아니야? 귀찮게 굴지 말고 혼자 놀아."

남자아이가 날이 선 목소리로 별하를 째려보며 말했다.

"싫어! 여긴 할게 없다고... 네가 왜 여기 왔는지 안 알려주면 계속 귀찮게 굴 거야!" 별하가 장난스레 씩 웃었다.

그러자 남자아이는 한숨을 푹 쉬고 무언갈 꺼내들었다.

"이게 뭔지 알아?"

남자아이가 꺼내든 것은 열쇠였다. 반짝반짝 윤이 나는 새 열쇠.

"열쇠... 잖아." 별하가 말했다.

"그래, 이건 열쇠지. 인간 세계에서 달 토끼 마을로 돌아올 때 꼭 필요한 열쇠."

"그럼 그건 촌장님 열쇠잖아. 이상하다? 촌장님 외에 다른 사람이 만졌을 때는 녹이 슬어져 보였는데..."

별하가 고개를 갸우뚱했다.

"그 얘기 못 들었어? 열쇠의 주인만이 열쇠를 빛나게 하고 문을 열 수 있게 한다는 거."

"그럼 네가 열쇠의 주인이라는 거야? 아니, 그리고 그게 네가 여기 온 이유랑 무슨 상관인데?"

별하는 이해가 되지 않았다.

"원래는 이 열쇠를 훔쳐서 인간 세계로 가려고 했는데 너 때문에 못 갔잖아!"

남자아이가 또다시 별하를 째려보았다.

"아 그런 거였어...? 가 아니라! 열쇠를 훔친거였어? 게다가 인간 세계에 가겠다고?"

별하가 화들짝 놀라며 말했다.

"맞아. 난 궁금한 건 못 참는 성격이거든." 남자아이가 태연하게 말했다.

"어쩔 수 없네. 버스를 타긴 글렀으니 걸어가 보는 수 밖에."

남자아이가 벌떡 일어나 정거장을 지나쳐 걸어가기 시작했다. 별하는 남자아이를 빤히 바라보다 따라갔다.

"뭐야, 왜 따라와? 잔소리하려는 거면 그만두는 게 좋을 거야." 남자아이가 말했다.

"아니거든? 저기 혼자 앉아서 할 게 없으니까 따라가는 거야. 그리고 네가 가면
어른들은 돌아오지도 못할 텐데 문을 열어줄 사람도 필요하잖아." 별하가 말했다.

"호오, 생각보다 똑똑하네? 머릿속이 놀 생각으로만 가득 찬 줄만 알았는데."

남자아이가 의외라는 표정으로 말했다.

별하는 남자아이를 째려보았다. 그리고는 고개를 갸웃했다.

"그런데 있잖아, 버스를 타면 문이 활짝 열리면서 버스가 그 안으로 들어가던데. 문을 혼자서 열 수 있는 거야?"

"될 거야... 아마도." 남자아이가 자신 없는 표정으로 말했다.

"확실하지 않은 거야?" 별하가 말했다.

"버스를 타본 적도, 문을 제대로 본 적도 없는데 내가 어떻게 알겠어. 그래도 문이니까 문고리를 돌리면 열리지 않을까?"

"에휴, 이젠 나도 모르겠다." 별하가 말했다.

시간이 지나고 어린 두 달 토끼는 거대한 문 앞에 당도했다. 남자아이는 침을 꿀꺽하고는 문고리를 잡아 돌렸다.

"여, 열렸다...!"

문이 활짝 열리자 새하얀 공간이 펼쳐졌다.

"좋았어, 나 간다!" 남자아이가 설렘과 흥분으로 가득 찬 목소리로 말했다.

"자, 잠깐만!" 별하가 남자아이를 다급하게 불렀다.

"왜?" 남자아이가 물었다.

"어... 이름이 뭐야?" 별하는 이상한 기분이 들었다. 갑자기 조급한 마음이 들었다.

"내 이름은 리안이야. 너는?" 남자아이는 당황한 듯 얼떨떨하게 말했다.

"내 이름은 별하야."

"그렇구나. 아! 이거 너에게 맡겨둘게." 리안이 열쇠를 내밀었다.

별하가 열쇠를 받자 열쇠는 곧바로 낡은 모습으로 변해 버렸다.

"그럼 진짜 안녕!"

리안이 문 안으로 들어가자 문이 흔적도 없이 사라져버렸다.

별하는 낡은 열쇠만 빤히 바라볼 뿐이었다.

9. 잃어버린 열쇠

"그 뒤로 이곳은 발칵 뒤집혔어. 열쇠의 주인이 바뀐 데다가 그 주인이 인간 세계로 사라져 버렸으니까." 별하가 말했다.

우주는 고개를 끄덕이다 갑자기 별하와의 첫 만남이 생각났다.

"잠깐, 너 혹시 나를..."

"그래, 난 너를 리안이라고 확신하고 있어. 기억이 없는 이유는 떡을 먹지
않아서... 겠지."

"말도 안 돼. 내가 달 토끼라고?"

우주는 혼란스러웠지만 머릿속 퍼즐이 맞춰지는 것을 느꼈다.

공원 한복판에 홀로 있었던 이유, 6살 이전의 기억이 백지장처럼 하얬던 이유도 우주 자신이 달 토끼라면 이해가 됐다. 하지만 우주는 의문이 들었다.

"왜 나는 달 토끼의 모습이 아니야? 너처럼."

"달 토끼가 인간세계로 가게 되면 인간의 모습으로 바뀌어. 그리고 돌아오면 다시 달 토끼의 모습이 되는데, 이건 어디까지나 네가 너 자신을 달 토끼라고 생각할

때의 경우야. 넌 오랫동안 인간 세계에 있었어서 너 자신을 인간이라 생각하고 있잖아." 별하가 말했다.

"그럼... 내 모습이 변하는 건 내 마음가짐에 달렸다는 거지?"

"적어도 우리는 그렇게 생각하고 있어. 진실은... 신께서만 아시겠지."

별하가 어깨를 으쓱했다.

"으아~ 머리 터질 것 같아! 내가 꿈에서도 이렇게 머리가 복잡해야 돼?"

우주가 양손으로 머리를 마구 헝클어뜨리며 말했다.

"갑작스럽게 기억이 돌아오지 않는 이상 많이 혼란스러울 거야. 과거가 어떻든 지금의 넌 리안이 아닌 온우주니까."

별하가 싱긋 미소 지었다.

"그래, 그렇겠지... 어, 근데 오늘따라 버스가 늦게 오네?" 우주가 말했다.

"그러게? 버스 시간은 잘 알지 못하지만 몇 시간이나 지났는데 이상하네."

그때, 별하의 말이 떨어지기가 무섭게 이젠 익숙해져 버린 우웅우웅거리는 소리와 함께 버스가 나타났다. 우주가 버스에 타려 하자 별하가 우주를 불렀다.

“일주일 전에는... 왜 여기에 오지 않았던 거야? 한참을 기다렸었다고.”

“아, 수학여행을 가서 밤을 꼴딱 새웠거든.” 우주가 말했다. 그리곤 덧붙였다.

“그런데 이젠 안 그러려고. 다음 날 너무 피곤하기도 하고 이젠 매일 밤마다 날 기다려주는 친구도 있으니까.”

이젠 친구가 무엇인지 알 것 같은 우주였다.

“좋은 생각이네.” 별하가 씩 웃었다.

“그럼, 진짜 안녕!” 우주가 말했다.

별하가 흔들던 손을 멈칫했다. 입가의 미소 또한 사라졌다.

“왜 그래?” 우주가 말했다.

“아니야, 아무것도.”

별하가 순식간에 표정을 바꾸고 다시 손을 흔들었다.

‘그때와 똑같은 말을 했어... 설마 무슨 일이 생기지는 않겠지?’

별하는 불안한 얼굴로 멀어지는 버스를 바라보았다.

한편, 우주는 버스 안에서 열쇠를 바라보고 있었다. 우주의 마음속은 여러 감정들이 뒤엉켜 혼란스러웠다. 우주는 열쇠를 창문에 대보려고 했다. 그런데 창문에는 유리창이 없었다.

"유리창이... 아, 열쇠가!"

당황한 우주는 실수로 열쇠를 떨어뜨렸다. 우주는 자리에서 벌떡 일어나 우왕좌왕했다. 우주는 운전석으로 가 버스를 멈출 방법을 찾으려 했으나 버스는 벌써 거대한 문 안으로 들어가고 있었다. 갑자기 덜컹거린 버스 때문에 우주는 앞으로 고꾸라지고 말았다.

쿵-

우주는 꿈에서 깨어남과 동시에 침대에서 떨어졌다. 정신없는 머릿속에 알람 소리가 꽂힌다. 우주는 손을 뻗어 알람을 끈 뒤 천천히 일어났다. 꽤나 격하게 떨어졌는지 머리와 등이 욱신거린다.

"으... 내 등..."

우주는 정신을 차리고 베개를 들춰보았다.

'열쇠가... 없다..!'

우주는 순간 무거운 납덩이가 심장에 내려앉은 기분이 들었다. 이제 다시는, 또다시 오류가 생기지 않는 한은 우주에, 정거장에 갈 수 없다. 당연하게도 별하 또한 만날 수 없다.

우주는 어젯밤까지만 했어도 열쇠가 있었던 자리를 멍하게 바라보다가 책상으로 다가가 서랍을 열어 닥치는 대로 뒤져보기 시작했다.

믿을 수 없었다. 아니, 믿고 싶지 않았다.

한편, 별하는 뒤숭숭한 마음에 쉽사리 집에 돌아가지 못하고 있었다.

'어차피 지금 지금 집에 돌아가 봤자 뒤숭숭한 마음만 커질텐데...
차라리 좀 걸을까.'

별하는 과거에 리안과 함께 걸었던 길을 따라 걷기 시작했다. 앞으로 우주를 어떻게 대해야 할지, 우주가 정말 리안이 맞을지 여러 가지 생각들과 감정이 뭉쳐 별하는 마음속에 꽉 막힌 무언가가 있는 기분이었다.

바로 그 순간, 별하의 눈에 무언가가 들어왔다. 그건... 열쇠였다. 열쇠를 본 별하는 머릿속이 하얘졌다. 별하는 열쇠를 집었다.

"이게 왜 여기 있는거지? 설마... 떨어뜨린 건가? 그럼 우주는 이곳에 못 온다는 거잖아. 난... 어떻게 해야하지...?"

또다시 혼자가 된 듯한 느낌이 드는 별하였다.

10. 재회

그 뒤로 몇 개월이 지났다. 나는 고등학생이 되었다. 처음엔 그곳에 갈 수 없다는 것과 고등학교에 입학했다는 사실이 너무나 낯설었다. 메리, 다온과도 점점 멀어졌다. 하지만 점차 그것들은 익숙해지게 되었고 무뎌지게 되었다.

나는 때때로 그곳이 그리울 때면 밤하늘을 올려다본다. 그곳에 비할 바는 못 되지만 이곳에서 볼 수 있는 가장 비슷한 풍경이니까.

그리고 한심하게도 나는 점점 달 토끼에 대한 것들을 잊고 살아가게 되었다. 정확히는 그리운 마음이 커져서 차라리 잊어버리고 싶었다. 내가 받아들이기엔 너무 힘든 이야기라고 마음속으로 되뇌었다.

* * *

우주는 창문 너머로 보이는 밤하늘을 올려다보았다. 별도 없이 캄캄한 어둠뿐이었다. 그때, 우주는 이상한 느낌이 들었다.

'뭐지? 무언가가 머릿속으로 들어오는 것 같은...'

그 순간, 누군가의 기억이 우주의 머릿속에 들어왔다. 그 기억속엔 달 토끼 남자아이와 열쇠와 별하가 있었다.

'이건 리안의 기억이다.'

모든 기억이 우주에게 들어왔다. 마치 우주 자신에게 일어난 것 같이 생생했다. 아니...

“내가 정말로 달 토끼였던 거구나...”
갑자기 들어온 기억들을 받아들이기도 힘든데 우주는 알 수 없는 힘이 자신을 어디로 끌어당기는 느낌이 들어 집 밖으로 나갔다.

*　*　*

새하얬다. 그리곤 다시 어두워졌다. 아무런 기억도 나지 않는다.

“난 누구지... 내 이름은...”

이곳엔 아무도 없다. 주위를 둘러보니 푸릇푸릇한 무언가가 보인다. 멀리서 누군가가 달려오고 있다.

‘슬리퍼를 신고 달려오고 있네. 바보 같아.’

“어라...?”

눈물이 흐른다. 가슴이 울렁거리며 통증이 느껴진다.

“우주....”

생각났다. 내가 여기 온 이유.

*　*　*

“네가... 여기에 어떻게...?” 우주가 거친 숨을 몰아쉬며 말했다.

"이거. 두고 갔잖아." 별하가 웃으며 열쇠를 내밀었다.

우주가 열쇠를 잡는 순간 열쇠가 새것처럼 바뀌며 우주와 별하에게 토끼 귀가 생겼다.

"너... 귀가...!" 별하가 우주의 토끼 귀를 가리켰다.

"그러게? 귀가 생겼네?" 우주가 자신의 귀를 만졌다.

그리고 곧이어 두 사람이 공중으로 떠오르기 시작했다.

"뭐야, 왜 갑자기 떠오르는 거지?" 별하가 말했다.

잠시 후 두 사람이 떠오르는 것이 멈추더니 그 공간이 하얀색으로 물들여지기 시작했다. 마침내 밤하늘은 사라지고 두 사람은 하얀 방 안에 있게 되었다. 두 사람은 커다란 문 앞으로 다가갔다.

"문을... 열어봐." 별하가 말했다.

우주는 고개를 끄덕이고는 열쇠로 문을 열었다.

"아, 드디어 이곳에 다시 왔네! 정말 그리웠어." 우주가 말했다.

두 달 토끼는 정류장 쪽으로 걸었다.

"전에 너에게 하지 않은 이야기가 있어. 열쇠는 열쇠의 주인을 가장 필요한 곳으로 인도하고 소멸한다는 이야기."

우주의 말대로 열쇠는 소멸했다. 별하는 우주를 바라보았다.

"넌 어떻게 인간세계에 온 거야?"

"이 열쇠를 줍고 나서 어떻게 하면 널 다시 만날 수 있을지 고민했어. 몇 개월이 지나고 문이 있던 곳에 가봤는데 문이 있더라고?
난 문이 사라졌을 줄 알았거든. 그래서 떡을 먹고 이곳으로 왔지."
별하가 말했다.

우주가 웃음을 터뜨렸다.

"정말 너 답네. 하긴, 우리가 처음 만났을 때도 너는 참 당돌했지. 어른들한테
걸릴 건 생각도 안하고 무작정 버스에 탔었으니까."

"너... 역시...!"

별하의 눈이 점점 커졌다.

"우린 결국 돌고 돌아 이 우주 정거장에서 다시 만났네."

우주가 싱긋 미소 지었다.

"오랜만이야, 별하."

- 우주 정거장 end -

에필로그. 대화

만약 우주가 별하를 만나지 않았다면, 메리와 다온에게 마음을 열지 않았더라면, 우주의 삶은 어떻게 되었을까? 반복되는 삶에 지쳐도 바꿀 용기가 나지 않아 괴로워했을까? 아니면 우주 스스로 변화를 만들어 냈을까. 우주와 그의 양부모님과의 관계는 어떻게 되었을까?

띠-띠-띠-띠-

삐리리릭-

한 남자아이가 도어록의 비밀번호를 누르고 문을 열었다. 남자아이는 눈밑이 퀭하고 어깨의 맨 가방은 너무나도 무거워 보인다. 집 안을 본 남자아이는 깜짝 놀라 뒤로 주춤했다. 집 안 부엌에 누군가가 앉아 있었기 때문이었다.

그 사람을 알아본 남자아이는 놀라고 당황스러운 마음을 가라앉히고 집 안으로 들어왔다.

"어, 우주 왔구나. 많이 늦었네?"

그녀는 우주에게 다정한 미소를 지었다.

"네. 고3이니까요. 일찍 오셨네요?"

우주는 애써 미소 지어 보이며 말했다.

“그래. 너랑 얘기 좀 하고 싶어서.”

여자가 말하자 우주는 가방을 내려놓던 손을 잠깐 멈칫했다.

“아... 그러... 셨어요? 많이 기다리셨겠네요.”

“아니야. 나도 온 지 얼마 안 됐어. 가방 내려놓고 잠깐 여기 앉아서 얘기
좀 하자.”

“네.”

우주는 방으로 들어가 들고 있던 가방을 내려놓았다. 그러곤 심호흡을 한 번 하고는 방 밖으로 나갔다. 우주에게 그의 양어머니는 아직도 불편한 사람이었다.

우주는 양어머니의 맞은편에 앉았다. 양어머니가 먼저 입을 열었다.

“학교 생활은 좀 어때? 할만하니?”

“네, 뭐. 할만해요. 학교에서 별로 하는 것도 없고요.”

우주는 양어머니와 눈을 마주치기가 어색해 테이블만 뚫어지게 바라보았다.

“그렇구나. 공부는 할만하고? 아니지, 많이 힘들겠구나.”

"네... 그런데..."

우주는 도저히 참을 수가 없을 것 같아 말했다.

"왜 저에게 갑자기 이런 걸 물어보세요? " 우주가 말했다.

"그냥... 너도 고3이고 우리가 이렇게 마주 앉아서 얘기해 본 적이 없잖니."

여자는 대충 얼버무리려다가 한숨을 푹 쉬고는 다시 말을 이었다.

"솔직히 내가... 우리가 너에게 못해준 게 너무 많아서... 그래서 이제 와서
부모 노릇을 해보고 싶었는지도 몰라..."

여자는 고개를 푹 숙였다. 우주는 당황하여 눈동자가 흔들렸다.

"미안하다. 바쁘다는 핑계로 네게 너무 무관심했어. 적어도 난 그러지 말았어야
했는데...."

여자의 뺨 위로 눈물이 떨어졌다.

"아, 아니에요. 제가 이곳에 있는 것도, 학교에 다니고 공부를 할 수 있는 것도 다 두 분 덕분인걸요."

우주가 손을 휘저으며 말했다.

"고맙다... 혹시 우리가... 내가..."

여자의 손이 떨렸다.

"이제라도 네게 부모 노릇을 해도 되겠니?"

우주에 눈에 눈물이 고였다.

눈물 한 방울이 툭 떨어지는 순간, 우주는 활짝 미소 지었다.

"물론이죠."

그때 누군가가 도어록 비밀번호를 누르는 소리가 들리더니 문이 열렸다.

"당신...! 일찍 왔네요? 손에 그건..."

여자가 눈물을 급하게 닦으며 말했다.

남자는 씩 웃었다. 그의 손에 들린 건...

"오랜만에 다 같이 치킨이나 뜯자고!"

나중에 이웃집 사람에 의하면 우주에 집에선 자주는 아니지만 간간히 웃음소리가 들렸다고 한다.

- 에필로그 end -